D'après Andersen
illustré par Annette Marnat

La Princesse au Petit Pois

Père Castor ▪ Flammarion
© Flammarion, 2010 pour le texte et l'illustration
© Flammarion, 2013 pour la présente édition – ISBN : 978-2-0812-8514-9

Il y avait une fois un prince
qui voulait épouser une princesse,
mais une **vraie** princesse !

Et il voyagea dans le monde entier
pour en trouver une.
Mais c'était bien plus difficile qu'il ne l'avait cru.

Certes, il y avait beaucoup de princesses,
seulement comment savoir si c'en étaient des vraies ?

Il ne pouvait s'en assurer tout à fait.
Toujours quelque chose
n'était pas comme il fallait.

Il rentra chez lui, tout chagrin,
car il n'avait pas trouvé de vraie princesse à épouser.

Or, un soir, il y eut un temps affreux;
éclairs et tonnerre, torrent de pluie.
C'était effrayant.

Soudain on frappa à la porte du château,
et le vieux roi alla ouvrir.

C'était une princesse qui était dehors.
Mais, Dieu! de quoi avait-elle l'air,
avec cette pluie et ce vilain temps!

L'eau ruisselait de ses cheveux et de ses vêtements,
entrait dans son nez et dans ses souliers,
et en sortait par les talons.

Bien qu'elle n'en eût pas l'air,
elle assurait qu'elle était une vraie princesse.
« C'est ce que nous verrons ! »
pensa la vieille reine qui ne dit mot.

La reine alla dans la chambre à coucher,
défit complètement le lit,
et déposa au fond un petit pois.

Ensuite, elle prit vingt matelas,
qu'elle empila par-dessus le pois,
et entassa encore vingt couettes de plumes
par-dessus les matelas.

C'est là que la princesse devait coucher.

Le lendemain matin, on demanda à la princesse
si elle avait bien dormi.

- Oh, horriblement mal! dit-elle.
Je n'ai pu fermer l'œil de toute la nuit!
Il devait y avoir Dieu sait quoi dans mon lit!
Il était si dur que j'en ai le corps couvert de bleus.
C'est terrible!

On vit ainsi que c'était bien
une vraie princesse.

Seule une vraie princesse
pouvait être assez délicate
pour sentir un petit pois à travers
vingt matelas et vingt couettes de plumes.

Le prince la prit donc pour femme,
car il était persuadé
d'avoir enfin trouvé une vraie princesse.

Quant au petit pois, il fut placé dans une vitrine,
à côté des objets d'art conservés au palais.
Il s'y trouve encore… si personne ne l'a pris.

Imprimé par Pollina, Luçon - L78142A, France - 10/2016 - Dépôt légal: janvier 2013
Éditions Flammarion (N° L.01EJDN000866.C004) - 87, quai Panhard-et-Levassor - 75647 Paris Cedex 13